folio cadet ■ prem

CW00550140

Traduction d'Anne Krief
Maquette : Barbara Kekus

ISBN : 978-2-07-062750-9
Titre original : *Tiddler ; the Story-Telling Fish*
Publié pour la première fois par Alison Green Books,
un imprint de Scholastic Children's Books, Londres
© Julia Donaldson 2007, pour le texte
© Axel Scheffler 2007, pour les illustrations
© Gallimard Jeunesse 2007, pour la traduction française, 2009, pour la présente édition
Numéro d'édition : 240573
Loi n° 49-956 du 16 juillet 1949 sur les publications destinées à la jeunesse
Premier dépôt légal : septembre 2009
Dépôt légal : novembre 2011
Imprimé en France par I.M.E.

Timioche
Le petit poisson qui racontait des histoires

Julia Donaldson • Axel Scheffler

GALLIMARD JEUNESSE

Il était une fois un
tout petit poisson
qui s'appelait
Épinoche mais qu'on
appelait Timioche :
il était tout petit
et pas très joli, avec
ses écailles grises.
Mais Timioche était
un petit poisson d'une
incroyable imagination.
Il faisait des bulles
minuscules mais
racontait des
histoires énormes !

– Excusez mon retard,
mais je faisais
de l'hippocampe...

– Excusez mon retard,
mais je volais
sur une raie...

– Excusez mon retard,
mais je plongeais
avec un dauphin...

Timioche avait tous
les jours une nouvelle
histoire à raconter.

Lundi matin, à neuf heures,
Mademoiselle Laraie fit l'appel :
– Jeannot Saint-Pierre ?

– Présent,
Mademoiselle Laraie.

– Poisson-globe ?
– Présent, Mademoiselle.

– Laperche ?
– Présente, Mademoiselle.

– Timioche ? Timioche ?

Timioche est encore en retard !

– Excusez mon retard mais,
alors que je nageais près d'une
épave, je suis entré dans un
coffre aux trésors et quelqu'un
a refermé le couvercle sur moi.
J'ai tellement rouspété qu'une
sirène est venue me délivrer.

– Oh, non, ce n'est pas vrai !
– Si, si, c'est vrai.

– Il nous raconte
des histoires,
dirent Poisson-globe
et Laperche.

– Encore une de ses
histoires idiotes,
ajoutèrent Poisson-
dragon et Limande.

– Moi, je l'aime bien, l'histoire de Timioche,
déclara Jeannot Saint-Pierre.

Et il alla la raconter à sa grand-mère qui
la raconta à un crabe.

2

Mardi matin, à neuf heures,
Mademoiselle Laraie fit l'appel.
– Jeannot Saint-Pierre ?
– Présent, Mademoiselle.
– Poisson-araignée ?
– Présente, Mademoiselle.
– Poisson-soleil ?
– Présent, Mademoiselle.
– Timioche ? Timioche ?

Timioche est encore
en retard !

–Excusez mon retard, Mademoiselle. Je suis parti très tôt ce matin mais, sur le chemin de l'école, j'ai été enlevé par un calamar. Je me suis battu et débattu, puis une tortue est venue à mon secours.

– Oh, non, ce n'est pas vrai !

– Si, si, c'est vrai.

– Il nous raconte
des histoires, dirent
Poisson-araignée et Poisson-soleil.

– Encore une de ses
histoires idiotes,
ajoutèrent Poisson-diable
et la petite Vandoise.

– Moi, je l'aime beaucoup, l'histoire
de Timioche, dit Jeannot Saint-Pierre.

Et il alla la raconter à sa grand-mère
qui la raconta à un carrelet...

... qui la raconta
à une étoile de mer,

qui la raconta
à un phoque,

qui la raconta
à un homard,

qui la raconta
à une anguille...

3

Mercredi matin, à neuf
heures, Timioche prenait
son temps, tout en
songeant à une histoire,
la plus énorme
histoire de sa vie.
Perdu dans ses rêves,
il ne vit pas le
bateau de pêche.

Il n'entendit pas les pêcheurs.
Il ne repéra pas...

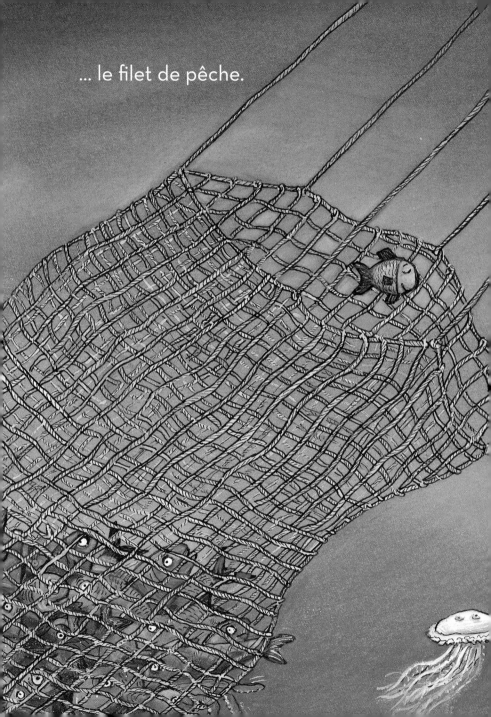

... le filet de pêche.

Pendant ce temps-là, à l'école,
Mademoiselle Laraie faisait l'appel.
– Jeannot Saint-Pierre ?

– Présent,
Mademoiselle.

– Poisson-léopard ?
– Présent, Mademoiselle.

Poisson-feuille ?
– Présente, Mademoiselle.

– Timioche ? Timioche ?

Timioche est encore en retard !

Dix heures...

Onze heures. Toujours
pas de Timioche.

Midi, l'heure du déjeuner.
Où a-t-il bien pu passer ?

4

Loin, très loin, les pêcheurs remontèrent leur filet...
– Ce petit mioche-là est trop petit. Rejetons-le à l'eau.
Timioche était perdu au milieu de l'océan, où brillaient d'étranges lueurs...

... et où volaient
d'étranges poissons.

Il tournait en rond.

Il tremblait de peur, caché dans les algues. C'est alors qu'il entendit une histoire. Une histoire qu'il connaissait...

– Timioche a fait de l'hippocampe.
Timioche a rencontré une sirène.
Timioche a rencontré une tortue
qui le sauva d'un calamar.
Timioche a découvert une épave.

Timioche a découvert
un coffre aux trésors.
– Oh, non, ce n'est pas vrai !
– Si, si, c'est vrai.

Timioche regarda autour
de lui et vit un banc
d'anchois.
– S'il vous plaît, pourriez-
vous me dire où vous avez
entendu cette histoire ?
– C'est une crevette
qui nous l'a racontée,
mais nous ne savons pas
qui la lui a racontée.
Et ils le conduisirent
auprès de la crevette
qui lui dit :
   C'est une baleine
qui me l'a racontée.

– C'est un hareng
qui me l'a racontée.

– C'est une anguille
qui me l'a racontée.

– C'est un homard
qui me l'a racontée.

– C'est un phoque
qui me l'a racontée.

–C'est une étoile de mer
qui me l'a racontée.

–C'est un carrelet
qui me l'a racontée.

–Mais... attends... dit le carrelet.
Il me semble que je te connais, toi?

– Je suis Timioche et je voudrais
retrouver le début de mon histoire.
– C'est ma voisine, Mamie Doris,
qui me l'a racontée, répondit le carrelet.

Une heure, deux heures... et toujours
pas de Timioche.

L'heure de la sortie allait sonner. Où pouvait-il
bien être ? Alors que les poissons étaient
en train de finir leurs devoirs...

Timioche surgit à
quatre heures et demie !

– Excusez mon retard, mais
je suis tombé dans un filet de
pêche. J'ai réussi à en sortir et
je me suis caché. Ensuite, je me
suis perdu et j'ai eu très, très
peur, mais c'est une histoire qui
m'a permis de retrouver mon
chemin, toute une histoire !
– Oh, non, ce n'est pas vrai !
– Si, si, c'est vrai.

– Encore une de ses
histoires, dirent Poisson-
léopard et Poisson-feuille.

– Une histoire idiote,
ajoutèrent le beau
Bar et Poisson-bleu.

– Mais non, ce n'est pas
une histoire idiote, répondit
Jeannot Saint-Pierre...

... qui la raconta à une amie écrivain...

... qui, à son tour, l'écrivit pour toi.

→ **je lis tout seul**

Pour les jeunes apprentis lecteurs
Niveau 2

n° 6 par Colin McNaughton

n° 7 par Jeanne Willis
et Tony Ross

n° 8 par Pef

n° 9 par Julia Donaldson
et Axel Scheffler

n° 10 par Janine Teisson
et Clément Devaux

folio cadet ▪ premières lectures